文史哲詩叢之3

心影集

汪洋萍著

文史哲出版社印行

國立中央圖書館出版品預行編目資料

心影集 / 汪洋萍著. -- 初版. -- 臺北市 : 文史哲, 民80
面 ; 公分. --（文史哲詩叢 ; 3）
ISBN 957-547-093-1（平裝）

851.481 〇 80004449

文史哲詩叢 ③

心影集

著者：汪洋萍
出版者：文史哲出版社
登記證字號：行政院新聞局局版臺業字〇七五五號
發行所：文史哲出版社
印刷者：文史哲出版社
台北市羅斯福路一段七十二巷四號
郵撥〇五一二八八一二彭正雄帳戶
電話：三五一一〇二八
實價新台幣二二〇元
中華民國八十年十二月初版

版權所有・翻印必究

ISBN 957-547-093-1

自序

人之所以為萬物之靈，是因為有一個充滿智慧的頭腦，發明了語言文字，作為溝通觀念與情感的媒介，作成傳承知識與經驗的紀錄，促進社會文明，增進共同福祉；因此，也衍生出「文學」。「文學」一詞，如果作廣義的解釋：凡以文字記載知識與經驗，或表達思想與情感的都可稱為「文學」。論語學而篇，孔子說：「弟子入則孝，出則弟，謹而信，汎愛眾，而親仁。行有餘力，則以學文。」孔子所說的「文」，是指詩書六藝之文。「文學」隨著時代的演變，「分工」愈來愈細，「文學」的路也愈來愈窄。自漢、唐以來，漢賦、唐詩、宋詞、元曲，盛極一時，明、清兩代盛行八股文。現代一般所謂「文學」，是指詩、散文和小說；歌謠、樂章似乎已歸類於「藝術」了。

就詩而言，我國最早的詩，是里巷歌謡與朝廟樂章，經孔子删選為三百十五篇，分國風、小雅、大雅、頌四体，輯成「詩經」，成為六經之一。詩在我國文學中，佔了重要的地位，尤其是唐代，流行最為普及。現代詩人常常懷念「詩的盛唐」，也因此稱我們是「詩的國度」。

我們的詩，就形式與格律分，有四言、五言、七言、絶句、律詩、古詩與樂府。自民國以來，新文學運動風起雲湧，傳統詩日趨沒落，白話詩應運而生。所謂「白話詩」經過幾十年的流變，有「新詩」、「現代詩」、「後現代詩」、「前衛詩」等名稱，其中又有説不清的什麼「主義」、什麼「派」的許多小框框，使學詩的人覺得比傳統詩更難學，使讀詩的人感到比傳統詩更難懂。我曾聽人説過兩句帶有諷刺意味的話：「詩的作者比讀者多」（大家都想做詩人）；「詩人寫詩是給自己看的」（孤芳自賞，別人也看不懂）。愛逛書店、書攤的人，只要稍為留意，就會發現，很少有詩刊、詩集陳列，縱有陳列，據說銷路也不是很好。由此看來，我們的詩，似乎已脫離了群眾，失去了讀者，鑽進了象牙塔裡，我們「詩的國度」的名號，已經名存實亡。

我們的詩已淪落到這種地步，我們的詩人應有所省思。什麼是詩？詩有何用？恐怕沒有標準答案，而言人人殊，各是其是，各非其非，標新立異，無所不用其極。有些權威詩人評斷，詩有真偽。辨真偽一定要有依據，要有標準。像偽藥，是未經衛生主管官署核准登記，或成份不合規定。像偽鈔，不是政府依法發行，而是不肖之徒私自仿製的。鑑定詩的真偽，依據在那裡？標準又在那裡？照理說，詩只有好壞之分，應無真偽之別。

孔子曾告訴他的兒子說：「不學詩，無以言。」意思是說，不研讀詩經，說出話來，不會很得体，不會很動聽。論語陽貨篇記載，孔子勉勵弟子們讀詩經說：「小子！何莫學乎詩？詩，可以興，可以觀，可以群，可以怨；邇之事父，遠之事君；多識鳥、獸、草、木之名。」大意是說：學詩經，可以激發心志，觀察時政得失，與社會大眾溝通觀念與情感，發抒自己的情懷；還可以學到許多做人做事的道理；了解自然界的生物群象。由此可知，詩有許多教育功能。詩可學以致用，可以提昇人的品質與生活意境；不是專為消遣把玩，打發時光的東西。

詩的形式和詩的語言，都會隨著時代而演變，這是誰也擋不住的潮流。詩人的責任，是順著潮流因勢利導，創作多層次的詩，供不同層次的社會大眾閱讀；但詩的價值不會變，也不該變——詩是提昇人類品質與生活意境的精神食糧。詩被譽為精緻的文學，以最少的文字語言，表達最多的含義，而且有言外之意，弦外之音，發人深省，給人啓發與鼓舞。

詩發乎情，而且是一片真情，不是縱情或濫情，不是美麗的謊言，不是乞憐的呻吟與哀怨，也不是逗人的文字遊戲。人格與詩格相結合，才是真正的好詩。像韓愈的「自詠」：

一封朝奏九重天，夕貶朝陽路八千；
本為聖朝除弊政，敢將衰朽借殘年。
雲橫秦嶺家何在，雪擁藍關馬不前；
知汝遠來應有意，好收吾骨瘴江邊。

言志、敘事、抒情，凝煉於五十六字中。再印證他貶任潮州刺史後，為民除弊興利的輝煌政績，這首詩不僅百讀不厭，而且愈讀得深入，愈使人感動。

我認識的古丁先生，他的詩充滿著愛國熱情，茲錄其「給祖國詩」的前兩段：

納我入你征戰的行列
磨礪我的意志
讓我赴屍於敵人城堡的缺口
鋪成你勝利的路
繼往古英雄豪傑的如虹氣慨

立我於慷慨赴義的碑林
我的路看得見
你遙遠思想世界盡頭的美景
懷著愛慕之忱前去
一步一個難苦的腳印

他一手持槍，一手握筆，執著於其分內的工作。他的同學們升了中、上校，他還是一位士官長。他退伍後，積極從事文藝工作，以護衛中華文化的尖兵自任，不見容於惡勢力，他不理睬連續的恐嚇與威脅，在一次不像車禍的車禍喪生。證明他的詩是他的真心話，他也實踐了諾言。

詩是時代的鏡子，時代是詩的素材。四、五十年代，我們要求生存，為求溫飽，那個時代的文藝作品，都溢發出一股樸實、堅毅與沉勇的朝氣；現在生活富裕了，憂患意識隨之消失，我們的文風與詩風，傾向於享樂而日趨頹廢。現在，我們的社會，出現許多光怪陸離的現象，人們就以「多元化」來解釋。所謂「多元化」是在國家社會共同的目標──追求生存、發展與幸福，經殊途而同歸。不是絕滅人性，背離法律與社會規範的胡作非為，胡言亂語。文人和詩人都有銳敏的觀察力，應對我們的社會現象，作客觀的分析，以開闊的胸懷，負起「多元化」社會嚮導的責任，引導社會大眾從殊途而同歸於共存共榮的目標，凝聚在共同幸福的周圍；豈能為一己之私，趁自我一時之快，而做出相互傷害的事。

吳敬恒先生在「科學與人生」這篇講詞裡（民國十五年八月），以科學的角度，幽默的說：「文學家是瘋子，專門胡說八道。」（不知是否也包括詩人在內）其實，文學家並非都「胡說八道」；不過，真正「胡說八道」的亦不乏其人（不然，我們的國家，也不會像今天這個樣子）。我不是文學家，也不是詩人，而是一個凡夫俗子，不敢「胡說八道」，只是誠誠懇懇地把心裡話說出來。

我很幸運，生長在這個多采多姿，又多災多難的時空交會點，能從苦難中走過來。我常懷感恩的心，鞭策自己，要竭盡所能，為生我養我，為我鋪路搭橋的恩人，有所回饋；但未如所願，深感慚愧。

於今，我生命的行囊漸空，只留下些許心跳脈動的紀錄，證明我曾經努力過。為自求寬恕，只好將發表過的作品，選輯成這本小册子，來抵償生命的負債；另一方面回應許多贈書給我和關愛我的朋友。老之將至（雖然我不服老，必竟走近社會生命表的「老人欄」的邊緣），其言也誠，奉勸我們的社會大眾，要知福、惜福（尤其是青少年朋友們，你們是國家社會未來的希望），善盡自己分內的責任。把想說的話說出來，我心裡舒坦多了。

中華民國八十年十月於台北市

心影集 目錄

註：本書篇目，係依創作時間先後順序編排，以顯示作者的心路歷程。

提高生活水準

生活，一般是指食衣住行，
其實應包含一切精神活動。
提高生活水準不應只為滿足物質欲望，
同時也應提高生活的意境。

物質文明產生了些時髦病：
「迷失」是心理失去了平衡；
「蒼白」是患了精神貧血症；
「代溝」是中斷了民族精神的傳承。

有人提倡重振「重慶精神」，
因為那是民族精神的體現，
是精神重於物質的證明，
也是醫治那些時髦病的砭針。

我們要創造更高水準的物質生活，
我們要加強倫理道德的精神涵蘊。
精神與物質並重才會有完美的人生，
情感與理智和諧才是人類至高的文明。

原載中央副刊　民國六十七年三月十四日

上帝與撒旦

上帝是人人敬愛的天神
撒旦是人人憎惡的魔王
但他們的面貌使人迷惘
分不清那是上帝
那是撒旦

我見過上帝
他是人的形像
臉上堆滿著莊嚴的慈祥
並賜給我智慧與力量

我也見過撒旦
它偽裝上帝模樣
躲在上帝身旁
向我投射誘惑的目光
如果我們不定神細心分辨
往往會把撒旦看作上帝
把上帝看作撒旦

上帝創造這個美好的世界
作人類子子孫孫居住的天堂
教人們相親相愛相生相養
撒旦卻以欺騙伎倆
使人們互仇互恨互鬥互爭
把人類社會弄成今天這種情景

我們要想過和平安樂的日子
只有把心靈交給上帝奉行他的意旨
認清撒旦的真面目與它遠離

原載中央副刊　民國六十七年五月十一日

人類的迷惘

民主自由帶來散漫頹唐，
極權奴役使人痛苦難當。
豐衣足食誘發無窮慾望，
啼飢號寒觸目情境凄涼。
科技帶給人類核子恐怖，
精神物質距離愈拉愈長。
上帝住在每個人的心裏，
魔鬼也時刻緊跟在身旁。
國際外交極盡威脅利誘，
爭權奪利不顧天理倫常。

・7・　人類的迷惘

善良百姓祈求和平安樂，
暴力強權卻在各地猖狂。
歡笑哭泣一齊同台亮像，
呈現眼前景象使人迷惘。

大同之治豈無實現希望？
世界末日真的就要來臨？
是禍是福人類同一命運，
或恨或愛用心仔細思量。
人人為我始能需求無缺，
我為人人亦是理所應當。
格物致知開發無盡寶藏，
誠正修齊促進社會安詳。
爾虞我詐只會徒增紛擾，

友愛互助才是福樂康莊。
三民主義指示正確方向，
中華民國就是最好榜樣。
萬邦協和共同創造福祉，
子子孫孫發揮人性光芒。

原載中央副刊　民國六十七年十二月十五日

問題青少年的申訴

你們都認為青少年問題嚴重，
卻不除去那問題生成的原因。
我們走出娘胎只有吃奶的本領，
糊裏糊塗地向人生旅程邁進。
我們模仿著大人們的舉止言行，
是非善惡我們分不清。
在家庭在學校也聽說過什麼仁義道德，
但教我們的人多是只說不行，
似乎也不是社會大眾衡情度理的標準。
不是把我們管得太緊，

就是對我們溺愛放縱。
有時虛偽的應付我們一陣，
有時把我們當出氣筒。
曾聽說我們是國家未來的主人翁，
為什麼變成動輒得咎的罪人？
光怪陸離的社會現象，
迷惑著我們幼稚的心靈。
雖然我們生活不虞匱乏，
心裏總覺得到處冷冰冰。
我們叫喊著「失落」，
周圍的人只冷嘲熱譏漠不關心。
我們的臉色呈現「蒼白」，
卻沒有給我們足夠的營養成分。
「代溝」越來越深，

為什麼不肯時常和我們親近？
你們製造的罪惡時時在向我們招手，
如果抵擋不住它的誘惑就會跌落陷阱。
你們總以為我們是在尋樂找刺激，
其實我們是在排遣苦悶。
你們看：
社會上很多人都在物慾裏迷失自己，
我們不過是步他們的後塵。
我們也知越規逾矩是不應該，
但為環境引誘卻欲罷不能。
我們不甘接受從四面八方來的苛責，
我們需要溫暖的援手與真摯的愛心！

原載中央副刊　民國六十八年三月四日

向中間的一代呼籲

——兼答「對『問題青少年的申訴』之答辯

中間的一代啊，
不要使你的上一代寂寞，
不要使你的下一代彷徨。
請快負起你應負的責任吧！
你說：為了工作，為了事業，
才把兒女冷落，
才把雙親淡忘。

那是籍口，
你在說謊！
你時常進出歌廳、舞廳、飯店，
還搓衛生麻將。

酒肉軟化了你應堅持的立場，
聲色使你應把握的原則走樣，
名利誘惑你越出倫常的軌道，
物慾使你陷入無邊的遐想。
你似乎忘了代代相傳的那根棒，
只顧自己吃喝玩樂，
打算在人間遊戲一場。
荒唐！荒唐！

回頭不晚，
莊敬自強：
用你的智慧去充實學養，
把你的心力用在事業上，
選適當運動以增進健康，
閒暇和父母兒女話家常，
或全家去觀光遊覽，
享天倫之樂身心舒暢。
奉養父母生死以禮，
教育兒女自做榜樣，
夫妻相敬如賓相偎相依，
走近生命的終點，
把責任交給下一棒。

原載中央副刊　民國六十八年四月十二月

註：胡晶玲女士對「問題青少年的申訴」在「中副」發表不同意見。

欲望

你緊緊地跟著我，
時時刻刻把我折磨。
雖然你曾帶給我些許快樂。
但你給我的痛苦更多。

我求你放過我，
讓我平平淡淡地生活。
只有你的魔影從我腦中消失，
我的心湖才會平靜無波。

原載中央副刊 民國六十八年四月二十六日

閒話傳統

你說：
傳統是手銬，
　是腳鐐，
是個沉重的包袱甩不掉。
你想擺脫，
你要反抗，
你在掙扎，
你呼號、狂叫，
你揮拳、跺腳，
痛苦萬狀！

我說：
傳統是胞衣，
是奶水，
是盞不滅的明燈照著你。

任你跳躍，
任你奔跑，
任你思想。
正等著你接棒，
在期待你創作，
盼望你青出於藍！

後生可畏，古不如今，
說明了傳統的演進。
前人的智慧與經驗累積成傳統，

後人的創造是傳統的延伸。
傳統隨時代在蛻變，
那蛻變無窮無盡。
你不能另造天地，
你如何能擺脫傳統？
縱然你有使傳統蛻變的能力，
你仍然生活在傳統中！

原載中央副刊　民國六十八年十月十六日

致帶面具遊行者

你們既不敢見人，
為什麼要出來亂吼亂叫？
是不是告洋狀沒折，
狗急跳牆狂吠亂咬？

你們既自知無臉見人，
為什麼還要胡鬧？
是受人桎梏身不由己，
為應付主子虛幌一招？

你們不敢拋頭露面，
是怕被人唾棄還是怕人恥笑？
你們背叛國家數典忘祖，
欲蓋彌彰不打自招。

你既昧於國際政治的奸詐，
又不知敵人笑裏藏刀，
自甘受其愚弄驅使，
身陷萬劫不復的泥淖。

政府和同胞對你們的愚行都不計較，
盼望你們即時悔悟回到祖國懷抱！
做個堂堂正正的中國人心安理得，
凶吉禍福決定於你們拿定主意的一秒。

原載中央副刊　民國六十九年四月十三日

知識份子的形象

什麼樣人，
才算知識份子？
界説不一，
立論紛紜。
我心中知識份子的形像：
鼻樑上架著理性的眼鏡，
肩挑歷史的重擔，
手拿現實的提籃，
為未來辛勤播種，
穩穩地站立在，

人我的平衡木上，
為休息而睡眠，
為工作而吃飯；
其上焉者——
更身懷明辨是非的彩筆。
背負伸張正義的寶劍。

原載中央副刊　民國六十九年十月二十一日

六福動物園

獅子、虎、豹各被圈在一個狹長的地帶
無精打彩地睡在樹蔭或涼棚下
不時向遊人投射不屑的一瞥
似乎已久失活躍深山叢林的雄風
狒狒跳躍在光禿禿的樹枝間
有的跳上遊客車頂上向人乞食
大象站在荒涼的紅泥地上
排成一列
掀動著一對大耳朵
玩弄著英雄無用武之地的長鼻

鴕鳥、黑熊、長頸鹿
徘徊於遊人的車隊傍
投送乞憐的目光求人賜賞
野牛咀嚼著乾枯的牧草
斑馬靜靜地佇立著像在沉思
我看了那些活標本
油然而生傷感與同情

原載中央副刊　民國六十九年十一月三日

迎賀「中國風」

一直都吹著歐美風
我也一直打寒噤
那強勁的西風
吹起了遍地高樓大廈
吹起了林立的煙囪
也吹得人們失魂落魄
只醉心物質文明
而頻添苦悶

又有一股赤色的低氣壓

正在形成
若由它變成強烈妖風
那高樓大廈
林立的煙囪
都會被它夷平
人也會被吹得失去人性

只有形成一股
強大的中國風
吹醒沉醉的人心
使高樓大廈裏住的
都是有靈性而愉悅的人
使煙囪發揮更好的效用
把那股赤色低氣壓

抵消於無形
我們民族的生命才能確保
我們的國家才會強盛

這個強大的中國風
就要來臨
我要齋戒沐浴焚香迎接
我要以虔敬的心
向她申致賀忱

原載「中國風」雜誌創刊號　民國六十九年十二月一日

原我

人人都為一個我
幾人了解這個我
在久遠的過去不曾有我
在無窮的未來不會有我
我只生存在
過去與未來間的一剎那

在久遠的過去就已有我
不然，我從何處來
在無窮的未來仍然有我

不然，我往何處去
我生存在永恒的宇宙中

我赤裸裸地從大自然來
我也將赤裸裸地回大自然去
我一無所有
我又擁有一切

我要珍惜久遠過去的我
我要寄望無窮未來的我
我要把握現在一刹那的我
我是個萬代過客的我

原載秋水詩刊三十一期　民國七十年七月

網

我給妳一絲素色的經
妳給我一縷彩色的緯
一只綠色的梭不停地
在我倆之間來回
織成一個美麗的網
網住一對比翼飛翔的彩蝶

原載秋水詩刊三十二期　民國七十年十月

電報

不是求救
不是告急
也不是告訴妳重要的消息

只是牽掛
只是思念
把千言萬語濃縮成幾句話

原載秋水詩刊三十二期　民國七十年十月

長跑

我們在一條優美的小徑
長跑
不是為奪錦標
也不是為創紀錄
只因我倆的志趣相投

懷著情
抱著愛
奔向美好的未來

原載秋水詩刊三十二期 民國七十年十月

妳

妳說無處容身
我敞開心靈的宮殿
請你進來

這裏沒有荊棘與陷阱
也沒有一絲塵埃
你可傾聽悅耳怡神的心聲
也可欣賞亦莊亦諧的情懷

你如做這宮殿的主人

王冠
后冕
任妳選戴

原載秋水詩刊三十二期 民國七十年十月

珍貴的啓示

——參加總統府前元旦升旗典禮

東方露出些微曙光
精神堡壘裏輻射出萬丈光芒
人們懷著理想
　抱著希望
　帶著虔誠的祝福
從四面八方奔赴一個焦點
要獻上朵朵心花

喜悅的笑容
雄壯的歌聲
激動的情愫
把青天白日滿地紅的國旗
推上旗杆的頂端

這是心的結合
這是力的表現
這是勝利的保證
也是一個珍貴的啓示

原載中央副刊 民國七十一年一月十五日

石門水庫禮讚

妳安詳地躺在
青山翠谷的懷抱
看藍天白雲
聽萬籟樂章
一心進德修業

妳已養成恢宏的氣度
能容納潑辣的溪流與山洪
將它們變化氣質
成為甘霖、奶水與動力

滋潤了十萬田畝
為百萬眾生解飢渴
推動機器運轉
為社會塗上欣欣向榮的景色

妳明媚的姿容
吸引了萬千遊客
妳慷慨地
賜給他們愉悅與歡欣
為他們解除緊張焦慮與煩憂

妳最領悟
施比受有福的道理
妳把財富與歡樂

都送給別人
只接受人們由衷的讚譽

原載葡萄園詩刊七十七期　民國七十一年三月十五日

港灣

我們是兩條追求理想的船
來自不同的地方
向幸福之島遠航
狂風巨浪使我們不期而遇
相偕停泊在這美麗的港灣

並頭比肩躺在
明靜如鏡的水上
輕彈心曲
談論理想

療養遇險過程中的創傷
這個港灣雖然美好
只是暫時棲息的地方
我們要揚帆鼓浪
去尋找人間天堂

原載秋水詩刊三十三期　民國七十一年一月

蠶

把一片片綠葉
嚼成一縷縷柔絲
再把那一縷縷柔絲
編織一個精緻密封的
安樂窩
睡在裏面
做轉世的美夢
夢醒時
已脫胎換骨

又長了一對翅膀
高興地從窩裏跳飛出來
尋找夢中的情人
雙雙旋著輕快的舞步
恩恩愛愛一番
繁殖了百子千孫

就這樣世世代代
為人類服飾增添華彩
奉獻犧牲
自螺祖至今
已四千多年

那柔柔的細絲

貫穿了一條
歐亞通道
輸出大漢文明
溝通東西文化
在人類史上
寫下光輝的一頁

原載中央日報「晨鐘」版　民國七十一年六月七日

以德報怨

——向日本人進一言

雖然
我衣上的血跡
剛才風乾
我身上的創傷
還在疼痛
埋在我心深處的
那些燒殺搶擄的鏡頭
使我時常作惡夢

我仍不願看你
走向毀滅之路
再向你進一言

你還記得嗎？
「大亞洲主義」的諍言
「敵乎？友乎？」的忠告
那是在
我被你的鐵蹄踐踏得
遍體鱗傷
含著血淚向你說出的
你的眼裏冒著兇光殺氣
一心要置我於死地
我只得和你決鬥一拚

·49· 以德報怨

你輸了，跪地求饒
我沒有懲罰你

勸勉你改過遷善
好好重新作人

風雲際會
加上你行竊的本領
吝嗇的個性
使你成了大富翁
你為富不仁
受恩不知報
為惡不肯改
要吸盡別人的血液

營養自己

你妄想
湮滅過去的罪行
鼓勵子孫
恢復軍國主義
你的罪孽深重
欲蓋彌彰
四鄰的怒吼
就是鐵證
那些窮兇極惡的畫像
縱然從你自己的
歷史中消失
但已烙印在

惡洲人的心上
是你永遠抹不去的
污點
醒醒吧！
別再作侵略夢
為你的子孫掘陷阱
抒散你的那些
不義之財
不要做霸道文化的鷹犬
做一個王道文化的干城
才是你的子孫之福

註：原以「中國人」筆名發表
原載中央副刊　民國七十一年九月五日

惡兆

——請亞洲人提高警覺

那個殺人不眨眼的無賴漢
在恣意燒殺搶擄之後
倒在我們仁義的劍下
全身痙攣
奄奄一息
我們細心為他診治
給他服下愛心散
恩德丸

他就傷癒復元了
一天天強壯起來
他有些悔意
把過去的罪孽
都記下來
以警惕自己
教誨子孫

三十多年的機運
使他成為
腦滿腸肥的大亨
也許是吃多了
別人精髓的美味
誘發了他昔日的

瘋狂的嗜血症
他要竄改歷史
湮滅罪行
那是他病症
大發作的徵兆

亞洲人啊
請提高警覺
加緊戒備
別讓他像從前一樣
潛入我們的後院
先用迷魂藥麻醉我們
再洗劫我們的財物
然後殺害我們的家人

要絕滅我們的後代

我們要時時
保持清醒
不接受他的催眠術
不吞服他的糖衣毒藥
睜大眼睛注視著他
無論他是用偷
還是用搶
發現他蠢動
就迎頭痛擊

原載中央副刊、民國七十一年九月十二日

註：原以「中國人」筆名發表

漫遊葡萄園

—賀葡萄園詩刊創刊二十週年

很久，很久以前
我就聽說有個
葡萄園
風景優美
一年四季
結實纍纍

於今

身臨其境
確實名不虛傳
廣闊的園子
堅固的架子
粗壯的籐子
繁茂的葉子
玲瓏的果子
吐出滿園芬芳

我品嘗著那
甜美的果實
口齒留香
回味無窮
尤其那

葡萄佳釀
薰我　醉我
使我流連於
葡萄園

我感謝
主人的慷慨
園丁的辛勞
為我與同好
經營這個
葡萄園
更期盼
能享受那
美果與佳釀

直到永遠

原載葡萄園詩刊　民國七十一年九月

賀盼周令飛

你掙脫了
那羈絆你心靈的
四根繩索
飛到了自由祖國
生活在愛的天地
我虔誠地
向你祝賀

你有一張伶俐的嘴
你有一支犀利的筆

你有一雙明亮的眼
你有一個聰慧的腦
你身上蘊藏著
無比的潛力

我盼望
你勇敢地
為海峽兩岸的同胞
做見證
告訴他們
中國應該實行三民主義
還是死守「四個堅持」

原載　中央日報「晨鐘」版　民國七十一年十月七日

懇求

你們曾向我們許下諾言
又一再地發過誓願
要竭誠為民眾服務
為民主政治犧牲奉獻

曾幾何時
你們的言行忽然轉變
官與民都不放在眼裡
處處都要享受特權

在國內趾高氣揚
到國外丟人現眼
受批評不知反省
遭輕視不自檢點

懇求你們自愛自重
維護身分的尊嚴
毋負老百姓的付託
為國家爭點顏面

原載中央副刊　民國七十一年十月二十六日

燭的諷語

我存在時
是質
我消失時
是能
人們對我這一
質能變換的過程
讚美　歌頌
其實
人們在生命歷程中

一如我在進行著
質能的變換
只是不像我
無私地為別人
奉獻犧牲

原載秋水詩刊三十六期　民國七十一年十一月

心語

相隔很遠很遠
我耳邊仍響著
銀鈴似的聲音
為我祝福
對我期盼
向我傾訴相思苦

相見嫣然一笑
那明亮的眸子
告訴我

她喜悅
她富有
她滿足

偶然一聲嬌嗔
一陣數說
或低頭默然
我都明白她的心意
即使相視無言
也全是愛的音符

原載秋水詩刊三十七期　民國七十二年一月二十五日

「北迴」攬勝

自強號像巨龍
在鐵軌上匍伏前行
我從它透明的腹壁上
瀏覽兩邊的風景

重重疊疊的青巒
彎彎曲曲的翠谷
白雲在為遠山加冕
溪流在腳下匆匆趕路

行行復行行
又到了海濱
驚濤拍岸浪花飛濺
舉目遠眺碧水無涯
只見海天一色

穿過一個個山洞
懸崖峭壁上
留下日月的斧痕
那河灘上累累的鵝卵石
可是時光的腳印？

蘭陽平原
花東走廊的

景觀
即使
藝術家的雕刀彩筆
也刻畫不出它的風韻

原載中央日報「晨鐘」版　民國七十二年三月二十三日

虹

時而在東方天際
送別落日
時而在西天的一角
迎接朝陽
既然如此思慕
為何要天各一方？

你不怨恨
造物者作弄
留給人們的

總是綺麗的遐想

畫家想捕捉你的形象
詩人為妳寫讚美的詩章
我為妳生命的短暫而感嘆
或許
你認為
剎那即是永恆

原載中央日報「晨鐘」版 民國七十二年四月十四日

蟬

在泥土裡
躲過朔風凜冽
　春寒料峭
聽炎陽的使喚
披上一襲輕紗
飛上林梢
鳴奏夏之組曲
　秋之樂章
催促萬物成長
鼓舞人們樂觀進取

直到金風送爽
　穀物進倉
才斂起它的
金嗓子
回到泥土中
期待
另一次
生命輪迴

原載中央日報「晨鐘」版　民國七十二年五月二十五日

慈湖謁陵

千千萬的子民
千千萬的國際友人
從四面八方
湧向慈湖
為感恩戴德
　仰慕英名
獻上一片虔誠的
追思與懷念

從慈湖帶回

蔣公智慧的光輝
仁慈的暖流
照耀世界每個角落
淨化每個人的心靈
那個精神文明的發祥地
將孕育國家的光明前途
綻開人類的美麗遠景

原載秋水詩刊三十八期　民國七十二年五月

嘉南初夏

原野是一匹
嫩綠色的天鵝絨
浮雕著鮮活景物
啊！
那是誰的傑作？

一叢叢的翠竹
一排排的行道樹
錯落有致
形成迥異的格局

點綴著
多彩多姿的
房舍　村落　城鎮

微風漾起
陣陣碧波
傳送著
薰人的馨香

鳥兒
在空中翱翔
在枝頭唱歌
農友們忙於耕耘
每一舉止

都是優美的韻律

啊！
形形色色的車輛
成群結隊
不停地奔馳追逐
為那綠色的大地
又添一景

原載中央日報「晨鐘」版　民國七十二年六月十七日

曇花

妳嬌艷如芙蓉
華貴如牡丹
妳的雅潔
別的花兒
比不上

妳不在乎
人們的讚賞
不理睬
人們的憐惜

來去得
那樣灑脫
停留得
那麼短暫

妳是怕
被污染塵垢？
還是厭惡
世間的鄙俗？
啊！我明白了
妳是要留給人間
一個完美的形象

原載中央日報「晨鐘」版　民國七十二年七月七日

寄「先驅十號」

原先預計
你只有
二十一個月的壽命
差遣你去太空
探聽一些訊息

你使我們
意外地驚喜
一去十一年
創造了奇蹟

越過海王星
　冥王星
掙脫太陽的羈絆
奔向人類未知的
太空領域
於今卻說
你生也無涯

你帶著
地球的位置圖
人類的形像
去訪問那些
不知名的星球
若遇外星人

向你探聽些什麼
請別告訴他們
地球上
有火藥味
有血腥氣
及一切使人類
失面子的事情
只說一說
孔子的理想
孫中山先生的計畫
問他們願不願意
協助地球人類
建立一個和平樂的
大同社會

也許
當你遇見
外星人時
地球已經毀滅
你就作個見證吧
說宇宙間曾有過
那麼一個
發出藍色光輝的
小小星球
存在過一剎那

註：據新聞報導，美國於一九七二年發射的太空船「先驅十號」，原先預計只有二十一個月的壽命，它竟在飛行十一年後，於六月十三日，飛離太陽系，奔向人類未知的太空領域。
「先驅十號」太空船上鑲有一塊刻有一對男女裸體圖像和地球的位置

圖。據太空科學家估計五十億後，地球將會被太陽毀滅，而「先驅十號」仍在太空中飛行呢。

原載中央副刊　民國七十二年七月十日

竹

你從小
就長得挺拔
成年後
更俊秀瀟洒
和松、梅為友
再與蘭、菊結交
騷人墨客讚頌
你的高風亮節
畫家臨摹
你優雅的形象

你繼承甲骨
背負著
歷史文化的行囊
又身為百器
忙著改善
社會大眾的生活
只知犧牲奉獻
渾然忘我

我隱約聽見
風兒傳來
你的心聲
勸誡人們
善用聰明才智

別再貪焚狂妄

原載中央日報「晨鐘」版 民國七十二年八月三日

暇日

抖落一身的塵俗
拋下滿腦的凡思
隨著人潮
去探訪大自然

循著彎曲的小徑
撥開攔路的草蔓
吸著清香的氣息
投向山的懷抱

走過一程又一程
近看遠眺
都是秀麗的風景
沿途的鳥兒
奏著迎賓的曲子
遊人的行列
不斷地傳來
笑語歌聲
啊！
多美好的天地
多和諧的世界

踏朝露
踩夕陽

尋回一個愉快的暇日
歸途有人問我：
是自然美化了生命？
還是生命美化了自然？
我也分不清

原載中央日報「晨鐘」版 民國七十二年八月十八日

雲

人們都說
你詭行多變
豈知
你在默默地行善
為要點綴一個
美好的天空
自古到今
你不曾休息

多彩多姿

形容不了
你的形象
鬼斧神功
也難以説明
你的藝術天才

太陽見你就嬌羞
月兒為你而朦朧
你那神奇的畫筆
使長空景色
變幻無窮
你又慈悲為懷
製造雨水
滋潤萬物

如果沒有你
我不敢想像
大自然是
什麼樣的景象
如果沒有你
我也懷疑
天地間是否
會有生命

原載中央日報「晨鐘」版　民國七十二年九月三日

風

你是一位
神秘的天使
來無影
去無蹤
看草木點頭
柳條起舞
或碰觸到我的肌膚
才知道
你已光臨

· 97 ·　風

人們說你
風情萬種
其實
關於你的故事
說也說不盡

你刻意裝扮成
四季不同的風韻
又忙著布置
大自然的風景
由於你的媒合
植物開花
才會結出果實

哦！
風是你的別號
你的本名叫空氣
當我一呼一吸之間
你已為我傳遞了
生命的訊息
我們形影不離
還有誰比我們
更親密？

原載中央日報「晨鐘」版　民國七十二年九月二十五日

「七七」感懷

「七七」這個名詞
盤據我心中
已四十六年
把我的童心
糾纏得老邁
恐怖的陰影
血淚的痕跡
憤怒的聲浪
都鏤刻在
我的心版

當年的敵人
把刀架在
我們的脖子上
把槍抵住
我們的胸膛
向我們索取
生命財物與國土
我們英勇地反抗
從生死存亡的關頭
躍登勝利的顛峰

於今
他們以笑臉相迎
暗中卻施展

文化的催眠術
伸出經濟的大吸盤
又玩弄政治魔術
我們似乎毫無警覺
今夕何夕？
一旦我們神昏力竭
將何以堪？

原載秋水詩刊三十九期　民國七十二年八月

鴿

你在
人類的通訊史上
寫下光輝的一頁
也曾榮膺
人類的和平使者
那些風光的往事
可留給你
甜美的回憶？

於今

你已淪為
人們的盤中佳餚
侵略者的和平幌子
貪婪者的賭博工具
你的感受又如何呢？
對人類是否怨恨？

你本是個喜劇演員
卻要你擔任
悲劇的角色
我為你深深嘆息

原載中央日報「晨鐘」版　民國七十二年十月十一日

夜

夜
將它神秘的
帷幕
從穹蒼低垂至
地平線
綴上無數顆
鑽石
時而掛起一盞
圓如輪
彎如鈎的明燈

朦朧的美
幫詩人捕捉靈感
為情人編織
愛的冠冕
寧靜撫慰著大地
讓人作理智的思考
為入夢的人們
注進生命的活力
迎接明天的
挑戰

原載中央日報「晨鐘」版　民國七十二年十月三十日

涓泉

經過層層
泥土和沙石的
瀝煉
才如許清澈
如許甘美

無視於
海洋的浩瀚
不肖於
波濤的澎湃

永無休止地
經營一股細小的溪流

粼粼的波光
呵呵的笑聲
是為展現自然的美
供人掬飲
滋潤乾涸的心田

原載秋水詩刊四十期　民國七十二年十月

花崗之晨

太陽還在酣睡
星星與路燈爭輝
我踏著大理石的人行道
隨人群走向
花崗公園

悠揚的音樂
劃破寂靜的長空
啊！那是一支舞曲
我登上那小小山崗

朦朧中只見
人影的律動
還有陣陣的歡笑聲

晨曦驅走了朦朧
每張臉上掛著
輕鬆愉快的笑容
把我這個外鄉客
融化在歡樂中

原載中央日報「晨鐘」版　民國七十二年十二月二十八日

元旦升旗

一
棟棟
盛裝亮麗的巨廈
佇立在
黎明前的黑暗裏
期待著
國旗冉冉上升
期待著
即將來臨的光明
一個個
悅樂的面孔

洋溢著愛國的熱情
匯成一個
盛大而感人的場面
一首首
雄壯的歌
唱出了
中華兒女的心聲
是希望
是理想
也是誓言

原載中央日報「晨鐘」版 民國七十三年一月十一日

黎巴嫩的悲歌

看你們曾經蒙
真主阿拉的眷顧
基督耶穌的恩典
過著繁榮安樂的日子
成為中東的瑞士
東方的巴黎
世界的金融中心
我們正為你們慶幸
如此得天獨厚

不知何故？
真主與基督失和
鼓動他們的子民
先是口舌之爭
繼之大動干戈
巴游又乘機介入
以謀取自身的利益
以色列和敘利亞
更是幸災樂禍
從中攪和
而蘇俄在一旁
煽風點火
美國也捲入了漩渦
這場紛爭

何時才會有結果？

不問誰是誰非
不管誰勝誰敗
遭殃的是你們
首都貝魯特
已成一片瓦礫
烽煙仍瀰漫全國
人民死於炮火
屍骨堆成山
熱血流成河
傷者在痛苦呻吟
還有千千萬萬人
流離失所

於今，你們的命運
操在別人的手裏
人權何在？
前途茫茫
真主和基督的子民！
你們如此互相殘殺
究竟為的是什麼？

原載中央日報「晨鐘」版　民國七十三年一月三十日

假日花市

盛開的花朵
含蕊的蓓蕾
鬥艷爭妍
以芬芳迎人
無花的青枝綠葉
也各有迷人的風韻

來自深山曠野的
奇石
傲然卓立

以無聲的語言
訴說它們的
滄桑歲月

籠子裏的鳥兒
展示著它們
亮麗的羽看
表演著
迎賓的舞曲

像西門町似的人潮
但他們不顯匆忙
不帶俗氣的
表情

更為可愛

原載中央日報「晨鐘」版 民國七十三年一月三十一日

陶醉·期盼

冬之神
為我們穿上
晶瑩亮麗的新裝
讓我們陶醉在
銀色的世界裡

我們樂享
徹骨嚴寒
藉以增進生命力
蘊蓄無限的生機

等待春回
為我們裝扮新風貌

原載台北攝影 民國七十三年一月

屛東公園

滿池紅蓮
捧著
晶瑩的露珠
展示它們的艷麗
四周圍繞著
青葱翠綠
構成一幅
柔美的畫面
輕快的舞曲

伴著婀娜的舞姿
羽球在空中飛翔
網球不停地
穿梭來回
快走慢跑
在運動場繞圈
慢條斯理的大極拳
別有韻味
瑜伽術
各席一地
還有各種不同的
韻律姿態
情侶們
攜手並肩

沉醉在
愛的氛圍裏

原載中央日報「晨鐘」版 民國七十三年二月二十三日

蜜蜂

飛舞於百花間
為花兒說媒
盼能締良緣
結出豐碩的果實
給人類作獻禮

只取那少許
花中甘液
為酬
釀成香甜的蜜

為人類做再一次

奉獻

原載中央日報「晨鐘」版　民國七十三年三月十日

踏青

走在那
綠茸茸的草地上
聞到陣陣的芬芳

置身空曠的原野
看花木生姿
聽虫鳴鳥叫的交響樂章
山在含笑
溪流發出粼粼的波光

春風伴著嬌陽
把大地裝扮成
如此美好
我流連忘返

原載中央日報「晨鐘」版 民國七十三年三月二十六日

鯉魚山

一條錦鯉
不悠游於浩瀚的水域
却躺臥在
東臺灣的太平洋之濱
啜飲葱青翠綠
遠眺萬頃波濤
俯瞰繽紛的市容

參天的古木
巍峨的廟宇

還有許多
先賢遺留的忠烈史跡
風景如畫
遊人如織
是臺東八景中的
第一景

原載中央日報「晨鐘」版七十三年四月十三日

採草莓

拿個精巧的盛盤
走進草莓園裡
那叢叢翠綠
掩映著點點嫣紅
啊！好美的景緻

我選最紅最大的採擷
那玲瓏的果子
看比吃更有滋味
賞心悦目的情景

釀成濃濃的詩意

原載鍾山詩刊七十三年八月號

牛

一頭大水牛
終日落寞地
站立在樹蔭下
無視於往來的行人
低頭沉思

是回味
與牧童為伍
漫步原野
啃食青草的時光？

還是留戀
與主人相隨
拖犁拉車日子？
抑或憧憬著
未來的歲月？

牠那樣沉靜　抑鬱
勾起我久藏心底的
童年回憶
…………

啊！
牠是在怨恨
那些吃汽油的鐵牛

喧賓奪主吧？

原載商工日報 民國七十三年七月二日

落日

收斂起
耀眼的光芒
顯露出
醉紅嫵媚的嬌容
姍姍的走下地平線

留下滿天彩霞
點綴成絢爛的黃昏
為詩人描繪意象
為畫家調配顏彩

為情侶編織甜美的夢

日出

先差遣曙色霞光
喚醒沉睡的大地
冉冉上昇
為萬物揭開生命的新頁

從不回顧過去
也不奢望未來
只循著那弧形的軌跡
開闢一條
沒有盡頭的時光隧道

原載秋水詩刊四十四期　民國七十三年十月

升旗・晨跑

人潮從四面八方
驅散黎明前的黑暗
偕著曙光
齊集在
總統府前廣場
陣容比往年更壯盛

國旗隨著悠揚的樂聲
冉冉上升
群情隨著

國旗上升而飛揚
喊出理想與目標
唱出愛國的情愫

然後，懷著朝聖的心
沿仁愛路奔至
國父紀念館
向萬世聖哲行最敬禮
感激他給我們的
恩賜

原載中央副刊　民國七十四年一月十二日

燭

含著滿眶
喜悅的淚
笑出一片光亮
驅散黑暗

然後
化為輕煙一縷
瀟灑地
騰空而去

當夜幕低垂
電燈怠工
人們才想起
那位落寞的俠客

原載中央副刊　民國七十四年四月二十日

公墓巡禮記

一個個小土坵
埋葬著一具具骷髏
不知
誰的靈魂上了天堂
誰的靈魂下了地獄
誰的恩澤留在人間
誰有罪孽貽害後世

我獨自沉思冥想
依稀聽到

有來自渺遠天際的歡笑
有來自深層地底的哭泣
似乎在啓示我們
不願攀登天堂的階梯
就要跌進地獄的牢門

原載秋水詩刊四十七期　民國七十四年七月

南聖神木

巍然聳立
四千一百年
年輪上記載著
中華民族的歷史
描繪著世界人類
文月進步的腳印

不屑褒貶
人間的是非功過
只顧吸取泥土的養分

承受雨雪風霜的歷練
那翠綠的秀髮
顯示祂仍然年輕

原載青年日報副刊　民國七十五年一月十六日

生命的五線譜

際遇之筆
在時空交織的
平面上　寫下
生命的五線譜

七情的音符
在五線之間跳躍
不期而然的組合成
生命的交響曲

無論是否有知音
也由不得
你是否願意
都要奏完這一曲

原載秋水詩刊四十六期

煙囪

想起過去
在那風光的
日子裡
人們以與我親近為樂
將我視為
財富的標誌
文明的象徵
我巍然聳立的雄姿
畫家為我塑像
詩人為我歌頌

於今所見
是一張張冷面孔
還不時發出叫罵聲
責我是污染環境的罪人
感慨今昔
無處傾訴
我仍然一本初衷
盡我的職份
是非功過
由人們記在歷史中

原載秋水詩刊五十三期　民國七十六年一月

路燈

你謙恭地站立路旁
睜大眼睛
照亮行人車輛
經年忍受
長夜的寂寞
四季不避
烈日與風霜

當你把職責
交給了陽光

你就閉上眼睛
悠然走入夢鄉
別人是否
重視你的存在
你全不放在心上

你為人們
如此犧牲奉獻
人們對你
卻很冷淡
而迷戀著
銷魂攝魄的
霓虹燈光

原載秋水詩刊五十期

生命的組曲

一粒粒種子
聞到泥土的芬芳
從冬眠中驚醒
伸展嫩綠的觸角
鑽出地面
張望陌生的世界
譜出繁花似錦
錄野青葱

一個個小精靈

受時令的催促
變成毛毛蟲
為扮演一個重要的角色
披上彩衣
穿梭花葉間
舞出美麗的風景

生命的過程
都是動感的組曲
萬物之靈的人
說不出源頭
說不清緣由
一代接一代
演唱著喜怒哀樂

悲歡離合的大樂章
梯形的音階
節拍愈來愈快
上帝若瘋狂
誰接指揮棒

原載秋水詩刊五十四期　民國七十六年四月

懷念 經國先生

您去北方取經
陷入煉獄十二年
變成浴火鳳凰
飛回赴國難

您在贛南披荊斬棘
開創一片新天地
立志要重建海棠
無奈敵不住逆流狂瀾

您來到這海島
不斷親吻荒蕪的土地
辛勤的耕耘播種
以血汗去灌溉

終於出現了奇蹟
長出美麗的風景
結著香甜的果實
滋養幸運的炎黃子孫

風景中充滿
您智慧的結晶
果實裡含有
您至愛的成分

原載秋水詩刊五十七期，經國先生逝世週年改寫

燈

——宋膺先生「燈及其他」攝影展觀後

你是光明磊落的勇者
以驅除黑暗為職志
在沒有陽光的時刻
在沒有陽光的地方
開創人類的文明
遏止世間的罪惡

你走過悠長的暗淡歲月

踏出今日的亮麗
帶給人們多彩多姿的生活
藝術家為你塑造了
最美好的形象
將光耀在人類的歷史

原載秋水詩刊五十九期　民國七十七年七月

愛之頌

不講邏輯
沒有定義
是抽象中的
抽象

有人為它而生
有人為它而死
有人為它無奈
它就那麼迷人

我渴望過
我追求過
我擁有過
我失落過

於今
我仍感覺它的存在
更期盼著
未來

原載秋水詩刊六十八期

探親之旅

一、近鄉情怯

四十年的夢
一夕間成真
從數千公尺高空眺望
情緒隨著薄雲下的山河
激盪　起伏
遙遠的歸程
是綿長的回憶

「合肥到了」
空姐柔美的提示
又將我喚回現實
胸頭有頭不聽話的小鹿
亂撞

二、舉牌相認

兄弟相見
竟然要舉牌互認
笑容掛著淚珠
分不清是悲是喜
旅店中有一宵
訴不盡的離情
和一夜輾轉的難眠

三、人事全非

屋後的小山變了
門前的小河也變了
房舍、道路都變了
出現在眼前的
盡是陌生的親人
唯有小時和父母睡過的舊床
最熟悉也最溫馨

白髮人都是童年的玩伴
在寒冬冰雪中傾聽他們的往事
餘悸歷歷
幸早春已臨

唯一的傷悲
該是未報的親恩

四、依依送別

悲喜交集的六日
在祭祖墳訪親友中匆匆而逝
留下的只是
幾首夜半含淚的詩篇
數十幅表達心聲的春聯

揮別扶老攜幼的送行人
一份難以分捨心情
再一次

哽咽在無言中

原載秋水詩刊六十九期

夢中情人

那年
我八歲　她七歲
穿件紅棉襖
兩條小辮子
垂在蘋果似的雙頰
牽她走進我家門
青梅竹馬　形影相隨

那年
我十七　她十六

大家送我遠行
她含情脈脈
偷擦眼淚
那亭亭玉立的身影
常在夢中出現

去年　我還鄉
她緊握著我的手
一聲大哥
相視默然

分別又數月
雖隔千山萬水
夢中常相見

不同的容顏
不同的風韻

原載秋水詩刊七十期

生日抒懷(一)

夜闌人已靜
大地在酣睡
湛藍的天幕上
飄浮著朵朵白雲
月兒撒下銀色的光輝
星星含羞眨眼
還有那迷人的銀河
欣賞這自然美展
渾然忘我

樹林裡傳來
鳥兒淒美的歌聲
虫族大樂隊伴奏
蛙鼓齊鳴
涼風輕吹口哨
溪流發出呵呵的笑聲
天籟的樂章
扣我心弦
使我陶醉

民國八十年八月二十七日深夜

生日抒懷(二)

曾經有人問我—
　你信什麼教
我說—
　我信　國父遺教
他向我投射不屑的眼神
接著說—
　八股　膚淺
沒什麼好爭辯的
我省思良久

仍然堅信
國父所說的——
　人生以服務為目的
　不以奪取為目的
是真理
服務是文明進步的動力
奪取是紛爭禍亂的根源

民國八十年八月二十八日凌晨